OLHA-ME COMO QUEM CHOVE

Alice Vieira

OLHA-ME COMO QUEM CHOVE

PUBLICAÇÕES DOM QUIXOTE
LISBOA
2018

Título: *Olha-Me como Quem Chove*
© 2018, Alice Vieira e Publicações Dom Quixote
Edição: Cecília Andrade
Revisão: Sandra Mendes

Capa: Maria Manuel Lacerda
Paginação: Leya, SA
Impressão e acabamento: Multitipo

1.ª edição: Março de 2018
ISBN: 978-972-20-6460-6
Depósito legal n.º 436 816/18

Publicações Dom Quixote
Uma editora do Grupo Leya
Rua Cidade de Córdova, n.º 2
2610-038 Alfragide – Portugal
www.dquixote.pt
www.leya.com

ÍNDICE

LIVRO DOIS – DIAS COM GENTE ASSIM

LIVRO TRÊS – DAS PALAVRAS

Olha-me olha-me como quem chove
conicamente sobre
um coração deposto
do corpo que o cercava

Ruy Belo, *in* «Tarde Interior»,
Aquele Grande Rio Eufrates

Para o Mário Filipe

À MANEIRA DE PREFÁCIO

para a Ana Almeida

manda-me um poema todas as noites
disse a ana   assim como
se me estivesse a recordar
a hora dos comprimidos   ou
das séries do fox crime

saí para a rua a pensar
que nomes havia de chamar à ana
ao fim do dia
e foi então que um pedinte
se atravessou no meu caminho e disse
ó doutora está tão linda vestida de azul
dê-me lá uma moedinha

era a primeira vez que alguém
no meio da rua
me chamava doutora   e
me largava um piropo antes
de me pedir esmola
por isso eu ri enquanto lhe passava
a moeda para as mãos

e agora que cheguei a casa
estou aqui a escrever este poema
para mandar à ana

e se ela achar
que isto não é um poema

paciência

que é o que normalmente dizemos
aos pedintes

(que não nos elogiam a cor
da saia)

Livro Um

OLHA-ME COMO QUEM CHOVE

1.

um dia chamei por ti e
não vieste

estava sentada   como agora
neste velho café de campo de ourique
olhando quem vende sonhos nas feiras
à sombra da maria da fonte e dos velhos
que morrem devagar ao ritmo
das cartas lançadas
sobre os bancos de pedra

e as minhas mãos apertaram com tanta força
as mãos que não havia
que o sangue se espalhou pela toalha
enquanto lá fora um carro travava
porque alguém   tu   quem sabe
se atravessara de repente
no meio da rua

morreu
perguntei
mas os criados nem me responderam
os olhos presos no vidro do copo
esmagado entre os meus dedos   e
tomando nota da despesa

mas depressa entendi que
não valia a pena esperar por ti neste lugar
embora todas as árvores tivessem um dia
aprendido os nossos nomes
dando sombra ao que
possivelmente
só elas soubessem que
andaria à deriva pelas nossas vidas

hoje
possivelmente
já nem recordas o caminho
e   de resto   o café está mudado
os velhos falam de futebol
de umas mesas para as outras
e as mulheres vêem nos espelhos
rostos de velhas que desconhecem
e têm   subitamente   muito frio

virá
pergunto eu hoje
nem sei porquê   nem a quem
mas também agora os criados
não me responderam
os olhos mais uma vez colados à mesa
onde em tempos o sangue
escorria dos meus dedos

2.

para chegar a ti
mordi as palavras que morriam
muito para lá das bocas que as murmuravam
e repetidamente me diziam que
aquele não era o caminho certo

nunca soube exactamente o que
seria um caminho certo   talvez por
nunca ter encontrado a chave de nenhum
ou o mapa com a rota a tracejado
ou um horário de comboios   de quando
eles paravam em todos os apeadeiros
e ainda havia automotoras   e quando
as pessoas entravam
todas se cumprimentavam como se
fossem da família   e mandavam recados
para quem tinha ficado em casa

oiço ainda a minha voz perguntar
qual será então o caminho certo
só que todas as possíveis respostas
se perderam noutros ouvidos   talvez
mais necessitados do que os meus

que continuavam a não receber
outros sons que não fossem
o rumor das breves noites de fevereiro   em que
prometíamos nunca mais amar ninguém
depois de nós

e nós éramos apenas
um rasto magnífico e sereno que os outros
largavam no meio dos escombros
com a única obrigação de os recolhermos
e por eles sermos
eternamente
felizes

(essa é   já devias saber
uma expressão em desuso

dizes
fechando os olhos
cada vez mais perdidos de mim)

3.

para que tudo tivesse alcançado
a perfeição de quem
chegou a horas
tu devias ter subido as escadas
sem retratos avivados na memória
sem agendas de tinta esmaecida
sem lamentos nos bolsos

como o padre na páscoa
a levar a redenção aos proscritos

talvez assim tivéssemos sobrevivido
ao cheiro do éter
às palavras travadas pelo medo
ao incenso pobre das missas de domingo
à traça acumulada nos armários
à água a escorrer dos açudes
nos quadros das paredes

à respiração de quem
cedeu a vida por desleixo

4.

dispo-me de velhos lençóis
acumulados como os velhos sonhos
à beira do tempo que foi nosso
e onde tudo já se perdeu   menos
a memória que hei-de guardar
das horas em que não percebi
que esquecias o meu nome
por entre nomes soletrados naqueles
lentos minutos em que o sono não vinha

só muito tarde percebi que
o nosso amor era apenas um
inquilino temporário da nossa pele
roubado sabe-se lá a quem
até ao dia em que disseste   tenho pressa

e aquela espessura transparente que
só na cama as almas ganham
desapareceu   como se descesse
sem ruído as escadas das nossas noites
e do que restava dos nossos corpos
– peças roídas de engrenagens vazias
que te habitavam até saíres de mim
como de um lugar incómodo

5.

abriste a porta e disseste que
toda a casa te cheirava a alfazema
enquanto largavas sobre a mesa
as romãs de novembro

e olhaste para as paredes da sala   como se
por entre as estantes carregadas de livros
rompessem estevas   urzes   lilases

abriste depois a porta do armário
procurando para as romãs um
prato do serviço da vista alegre   que
querias sempre à tua espera   mesmo que
o jantar se esquecesse no forno

alfazema   repetiste
a palavra saboreada com o ar
de quem tinha deixado
o passado inteiro no elevador
e   finalmente
encontrado o caminho de damasco

saíste muito tarde
com a alfazema continuamente entrando
nas muitas conversas sem sentido
talvez para lhes dares o que
cada vez mais ia faltando
à nossa vida

e eu fechei a porta e   no fundo do quarto
descobri o pequeno saco de linho
recheado de alfazema
que te escapara ao olhar   mas que
noutros tempos te ajudara a
aguentar as dores nos ossos e nos sonhos
de quem há muito deixara
os vinte anos e os sonhos

– porque nem sempre
a natureza é bucólica

ou talvez   quem sabe
o caminho de damasco se encontre
nestas pequenas coisas

6.

releio as mensagens que mandaste
todas com motivo   claro
porque tu nunca foste
de desperdiçar palavras
mesmo em tempo
de telemóveis

festas de anos   comemorações
jantares marcados
a que depois   sem explicação
faltaste

faço as contas aos dias
largados no ecrã
entre fevereiro e junho
e por vezes duvido que o amor
aguente prazos de validade
de cinco meses

isso
nos dias que correm
– dizem os meus amigos –
é quase a eternidade

7.

a casa cria rugas à luz das
mensagens dos amigos
que não voltam

às vezes perguntas
por um ou outro
e eu vou encontrando desculpas para
a ausência de cada um
trabalho longe   família a tempo inteiro

tudo
para que não saibas que
nunca mais eles vão entrar neste quarto
onde eu largo os meus olhos em ti
sabendo que outros   um destes dias
também só irão encontrar aqui
o rasto
do que fomos

8.

de poucas coisas tenho tanto medo como
das palavras escritas com maiúsculas
onde tudo fica subitamente igual
sem nada que as distinga e nos leve a dizer

esta faz parte do grito que larguei no cais
esta perdeu-se entre o oxigénio que não te salvou
esta enterrava-se entre a chuva com que me olhavas
esta vou largá-la no momento em que o padre
abandonar as flores que escondem o que foste

de poucas coisas tenho tanto medo como
dos móveis velhos a enterrarem no corredor
a poeira das ruas
que ainda restava do teu corpo
vivo

9.

explicar a tua partida pelo som da
ambulância a perder-se na esquina
não chega

porque antes disso houve o medo
a voz que implorava   não quero
que me vejas assim
a fraqueza súbita
a míngua de palavras
a vontade de adormecer às seis da tarde
e ficar refém de pesadelos lentos
a baba largada sobre o travesseiro
e aquele insistente murmúrio   nunca pensei
que morrer custasse tanto

depois as portas que se fecham
os passos arrastados e a tosse
do vizinho de cima
a chuva afogando os nossos olhos

a tua ausência espreitando à janela
de um lugar que não conheço

10.

e de repente o quarto

desmedido   desde que o silêncio
fechou todas as paredes   e as jarras
escurecem de flores mortas

o porta-chaves largado
sobre a cómoda
desde o dia em que disseste
já não consigo subir as escadas

o porta-chaves com aquele «E» enorme
a distingui-lo de todos os outros que
com o tempo tínhamos perdido
porque este significava
apenas
«EU»

o porta-chaves ao lado
das pastilhas que te faziam
esquecer o tabaco
e da moldura com
aquele retrato antigo
que te tirei no algarve

no dia em que nevou no país inteiro
menos lá

e tu riste e disseste que
até a meteorologia nos abençoava
e que   por isso   iríamos sempre
voltar ali em janeiro
como quem cumpre uma promessa

(«sempre» era então
uma palavra que usávamos muito
para definir a nossa vida)

eu   agora
a olhar para o quarto

eu   agora
a olhar para o porta-chaves

eu   agora
a fechar a porta e a deitar-me
perdida ainda na febre do teu corpo
entre os lençóis

sabendo que não estaremos nunca mais
senão aqui

onde já tudo
terminou

11.

nem sempre sonho com
pássaros leves

há noites
em que o pesadelo das esquinas
soterradas pela fúria do latir dos cães e
do choro das crianças abandonadas
alaga todas as minhas veias

e agora acordo todas as madrugadas
com o ruído do teu silêncio
e não sei onde
pousar o medo

Livro Dois

DIAS COM GENTE ASSIM

1.

o que levam de nós as coisas velhas que
deitamos fora   porque as casas são
pequenas   e os objectos agora
envelhecem mais depressa que nós

nas velhas casas
nós éramos outros   mas
os lençóis de linho sobreviviam
a todos os mortos   e passavam
de corpo para corpo   e
eram sempre os mesmos
e envelheciam em arcas de cânfora
que os avós tinham trazido de macau
e nunca tínhamos tido tempo de
esvaziar completamente

mas agora tudo é feito
para morrer depressa   e
sem deixar mágoas nem vestígios

que fazem dentro das nossas vidas
gravadores de fita   máquinas de escrever   faxes
cassetes onde aprisionámos momentos e rostos
que julgávamos eternos

dvd's que pensávamos rever
até ao fim dos nossos dias

(o senhor da sucata estava feliz
agradeceu muitas vezes
enquanto amontoava tudo   deixando
a minha casa subitamente maior

– ou muito mais pequena

conforme o ponto de vista)

2.

tenho de ir escrever
dizia o ruy
olhando para as mãos que
tremiam sobre a mesa   enquanto
a menina manuela tirava bicas e
fazia contas de cabeça
no bar de letras

havia quem chamasse inspiração
às mãos do ruy quando tremiam

só a menina manuela dizia
cuidado com a chávena   porque
a inspiração não pagava
a loiça partida
nem o trabalho que dava
limpar depois o balcão

então o ruy saía e escrevia
poemas de amor   de deus   de solidão
das esplanadas que eram as nossas pátrias
do pôr do sol escondido entre os cavalos de fão
e o cabelo de todas as mulheres
que com ele tinham habitado

os longos meses de verão
e o suor das suas mãos
quando tremiam

de todas
as mulheres

menos   que injustiça
a menina manuela   que
talvez o conhecesse
bem melhor que qualquer outra

3.

todas as manhãs
ali está

sentada no rebordo de uma janela
indiferente aos olhares
e aos quase 40 graus que
a meteorologia promete

cruza e descruza as mãos
o sol desenha-lhe a sombra
nas pedras do passeio
quase pegada à sombra da bagagem
que os turistas vão largando
à porta do hotel inaugurado há pouco
no lugar do prédio em ruínas que
os moradores não queriam deixar

o porteiro olha para ela
e ela acaba por se levantar

o meu quarto era aqui
diz
enquanto atravessa a rua

e um carro trava de repente
para não a apanhar

4.

lembro-me de nós há tantos anos
neste mesmo lugar
ao olhar a rapariga
que neste momento se deita
vagarosamente na relva
do outro lado do lago

largou o livro   fechou os olhos
desenhou certamente no sono
todas as ruas de cidades e países
aonde chegará um dia
com outro tempo
outra forma
outro silêncio

e há-de esperar que ali
aconteça o mesmo

o vento abre-lhe a blusa e o livro
estende as pernas   sorri
enquanto o sol lhe envenena a pele

há-de chegar   não tarda   o namorado
e a relva   do outro lado do lago

terá a cor de todos esses países
onde os limões florescem
como na ópera
que nunca devem ter ouvido

são os donos do mundo
mas não sabem

nem sequer imaginam
que   muitos anos depois
estarão ambos do outro lado do lago
descobrindo-se noutros

em tudo
iguais a eles

5.

levamos tanto tempo
a chegar a novos

disse um dia picasso que
foi sempre insuportável
e genial

e que desamou vertiginosamente
todas as mulheres
e para todas olhou como
para um touro numa praça hostil
cheia de música

à espera
sabe-se lá
dos 18 anos que devem ter sempre
andado perdidos   e nunca
se lembraram dele

6.

a cristina mandou-me ontem
um postal de aveiro
cheio de barcos espalhados
por um dos canais da ria
diante do mercado do peixe

mais exactamente
entre o cais dos mercantéis e
o cais dos botirões

e um deles ostenta   perigosamente
o nome «titanic»

e eu fico a olhá-los ali   parada
e nem sei porque   de repente
penso em ti
em ti   que nem gostas de peixe
e estarás   quem sabe   a naufragar ao longe
entre águas distantes de mim

e dentro em pouco   quem sabe
nada restará de sons antigos
ecos guardados   promessas   juras
que estarão presos no fundo do mar

como se não fossem mais que tesouros perdidos
no titanic

– o verdadeiro, claro
não o do postal
que não tem culpa de nada

7.

há muito que ela não tinha
aguentado um dia assim

assim   sem outra
melhor palavra para o definir

o cano entupiu
o remédio esgotou
a carta não veio
o saldo acabou

e ao abrir da madrugada
ele ligou a dizer que
tudo não tinha sido mais
do que um equívoco
daqueles que o calor do verão
arrasta sempre consigo

um dia
assim

foi então que a vizinha de baixo abriu a janela
estendeu ao sol o cabelo molhado
possivelmente

para poupar energia
e exclamou
que lindo dia

sem saber
como os adjectivos são
os maiores criminosos da língua
a merecerem prisão há muito tempo

(e só porque em portugal
a pena de morte
acabou
há 150 anos)

8.

foi o calor
tenho a certeza

eles deviam ser miúdos iguais a todos
os que enchem ruas   praças   arenas
com piercings   tatuagens   smartphones
calças rasgadas nos joelhos

mas o calor deve ter entrado
nos meus olhos
e por isso juro
que os vi
a tocar música junto ao tejo

uma banda a sério
como dantes havia aos domingos
nos coretos

palco não havia
nem tecto por abrigo
(o que havia
a junta de freguesia cedeu
para coisa mais importante)

mas havia uma árvore
a dar sombra
como um chapéu antigo

e eu olhava para eles
e ouvia a música que saía
sabe-se lá donde
e que fazia
do que seria um dia banal
sem nada para contar

um dia com outro céu
outro viver ali
noutro lugar

9.

a senhora da casa Henut-taui
que viveu
segundo informa a legenda da gravura
entre 1400 e 1300 anos antes de Cristo
não ficou na história
por nenhum feito especial
como   de resto
acontecia às mulheres egípcias do seu tempo

deu ordens quotidianas aos escravos
cobriu-se de pedras preciosas   brincos
colares   anéis   diademas
enfiou túnicas de bordados e contas
terá possivelmente descido até ao Nilo
para assistir às competições entre os barcos
mas não se deve ter aventurado a outros sonhos
(seriam precisos mais de 200 anos até que
Ramsés III anunciasse que as mulheres
podiam fazer viagens até onde quisessem
sem serem assaltadas pelo caminho)

a senhora da casa Henut-taui
não deve ter levado vida diferente
das outras senhoras de outras casas

e de certeza acreditou que o mundo
iria ser sempre assim
porque também só centenas de anos depois
é que surgiria Cleópatra
a mandar tudo para os romanos
depois da derrota na batalha
e da piscadela de olho ao Rex Harrison

a senhora da casa Henut-taui
não deve ter feito nada que
merecesse referência

– mas nesta sala do museu
dezenas de pessoas apontam-lhe
smartphones de última geração
e levam-na com eles
e vão discutir o oiro que envolve o seu pescoço
o cabelo a cair-lhe nos ombros
e hão-de lembrar-se dela por muito tempo

apesar de ela nunca ter feito nada
que merecesse a sua atenção

10.

era pelo fim de junho
e eu estava na varanda do
último andar daquele prédio que
como quase tudo na cidade
é hoje
um hotel   dizem eles
de charme   e
com nome inglês

tinha um vestido verde
e era tão nova que a memória
dói só de o pensar

nos meus ombros pousava
a tranquilidade das mãos
de quem me fazia
sentir única

ninguém falava
o sol brilhava ainda e alguém
dentro de casa anunciava
que o jantar estava pronto
as crianças que fossem

lavar as mãos   e
se deixassem de correrias

eu sentia apenas
o peso daquelas mãos
nos meus ombros

nunca
como nessa noite
a cidade me pertenceu tanto

11.

quando acabar o dia
e a cozinha se encher de loiça suja
há-de faltar sempre
o teu prato   o teu copo
e na mesa da sala os netos
deixarão o jogo de xadrez por terminar
porque já não têm muita paciência

mas antes de saírem
espetam um palito num dos bolos
que sobraram
riem para mim e dizem
é agora   força

e de certeza que na terceira nuvem
a contar da terra
os anjos vão rodear-te
e farão coro
nos parabéns a você
(ligeiramente
desafinados)

12.

os amigos telefonam
e dizem
não fiques
agarrada aos teus invernos

os amigos   às vezes
têm uma estranha noção
das estações do ano

13.

entre a malha e as palavras cruzadas
pego na tua mão e lembro
os dias em que éramos muitos   e
a pátria ficava muito longe
e nos encontrávamos sempre naquele café
que nunca fechava   e
onde havia uma jukebox
(que hoje ninguém sabe o que é   já nem
nas palavras cruzadas aparece)
com as cantigas da lucienne boyer
(que hoje também já ninguém sabe quem foi)

e as minhas mãos percorrem
os teus dedos enrugados   e
os nossos silêncios recordam a manhã em que
tantos anos depois
quisemos ver o que tínhamos conseguido salvar
de nós   das casas de escadas em caracol e pátios de cinza
e como   apesar de tudo
o café permanecia igual
e tinha o mesmo nome
e a madeira das mesas tinha inscrições
como sempre tivera
e havia o telefone ao fundo

como sempre   só que agora
não era mais do que
um brinquedo velho

mas hoje a nossa casa é outra
e a rua anoitece fora de nós   como
nesse tempo em que
o fumo dos nossos cigarros
ainda se confundia com os nossos sonhos

mas agora também já ninguém fuma no café
porque dá multa

e ele já não está aberto a noite inteira
porque o sindicato
não deixa

14.

ama os teus sonhos
como o teu próximo

ou como os sonhos
do teu próximo

mas se o teu próximo
não tiver sonhos

convém mandar o teu próximo
para muito longe

donde não te possa
contaminar

15.

não atravesses a rua
(ou a vida   tanto faz)
com palavras ameaçadas
de medo

leva   em vez delas
um límpido silêncio   onde
possas nascer para o dia claro
que se anuncia
nas janelas do quarto

não regresses à rua
(ou à vida   tanto faz)
com gestos grisalhos
de medo

leva   em vez deles
um derradeiro aceno   se
for caso disso
entre as dobras do sono
de quem ao longe está
a ser feliz de outra maneira

e se no teu olhar houver um rio
a apressar a partida
não hesites

mas   por favor
não atravesses a rua
(ou a vida   tanto faz)
com madrugadas contagiadas
de medo

16.

dantes eu escrevia contos de fadas e bruxas
mas   diziam   acabavam todos muito mal
e as crianças   diziam   tinham
insónias   e pesadelos   e
choravam muito por minha causa

porque as bruxas cortavam os dedinhos
das filhas dos moleiros
e enterravam alfinetes na cabeça
dos que chegavam atrasados ao jantar
como se alguma vez tivessem visto
os quadros da paula rego

e as fadas cravavam as unhas nos olhos
das princesas abandonadas à nascença
e vestiam-nas com a pele
de animais enlouquecidos

mas eu não entendia o choro das crianças
porque sempre sonhara ter sido
abandonada à nascença
e poder entrar na pele de quem
não me queria
mesmo que as fadas não me dessem

um minuto
de sossego

(neste mundo
como dizia a minha avó
anda tudo mal distribuído)

17.

às primeiras horas desta madrugada
onde já vou desfazendo
passos e ruídos
recordo ainda   mesmo sem querer
as ruas doces   forradas de
aventuras lidas pela noite dentro
na cama com cheiro
a pão e nozes

o nosso sorriso doía sempre muito
ao amanhecer   mas rapidamente afastávamos
os dias seguintes
e os nossos gestos eram
linhas curvas onde
nos armávamos para todas as batalhas que
havíamos um dia de perder

para casa trazendo
pedras   sombras   constelações
todas as coisas que
verdadeiramente
respiravam connosco

– enquanto agora murmuro   é hora
de escrever os últimos postais
pagar a água   a luz
avisar   não sei
quando volto

Livro Três

DAS PALAVRAS

1.

Estendo na cama o corpo que há-de ser
o porto a que esta noite vais chegar.
E entre névoas e ventos hei-de ver
o barco dos teus dedos ancorar
na margem mais secreta do desejo.
E há-de haver um mapa ali por perto
que te leve à enseada do meu beijo
e à fogueira de tudo o que está certo.
E na respiração da tua boca
bebo o grito da terra sempre pouca
para a noite em que ficarmos sós.
Mas o corpo descansa apaziguado:
sei que o sol já repousa do meu lado
e que o teu rio já chegou à foz.

2.

É com palavras que te vou guardar
na praia do meu corpo. E através delas
dar-te vida para sempre. E então escolher
entre raivas e mágoas só aquelas
mais perfeitas e claras que dirão
de nós o exacto nome. E perceber
que enredos edifica a minha mão
com palavras – e só – para te prender
aos instantes de mim na tua vida
e em tudo o que ao futuro conquistei:
palavras nesta luta desmedida
como límpidas armas. E erguê-las.

E sabê-las certeiras. E ganhar.
Outras armas não tenho para além delas.

OBRAS DE ALICE VIEIRA

Infanto-juvenil

Rosa Minha Irmã Rosa, Caminho, 1979 (Prémio de Literatura Infantil Ano Internacional da Criança).

Lote 12, 2.º Frente, Caminho, 1980.

A Espada do Rei Afonso, Caminho, 1981.

Chocolate à Chuva, Caminho, 1982.

Este Rei Que Eu Escolhi, Caminho, 1983.

Graças e Desgraças da Corte de El-Rei Tadinho: Monarca Iluminado do Reino das Cem Janelas, Caminho, 1984.

Águas de Verão, Caminho, 1985.

Flor De Mel, Caminho, 1986.

Viagem à Roda do Meu Nome, Caminho, 1987.

Paulina ao Piano, Caminho, 1979.

Às Dez a Porta Fecha, Caminho, 1988.

A Lua não Está à Venda, Caminho, 1988.

Úrsula, a Maior, Caminho, 1990.

Os Olhos de Ana Marta, Caminho, 1990 (Prix Octogone, França, 2000; Auswahliste Deutscher Jugendliteraturpreis,1992; e Prémio Eselsohr da Cidade de Mainz, 1997, Alemanha).

Promontório da Lua, Caminho, 1991.

Leandro, Rei da Heliria, Caminho, 1992.

Caderno de Agosto, Caminho, 1995.

Se Perguntarem por Mim Digam Que Voei, Caminho, 1997.

Um Fio de Fumo Nos Confins do Mar, Caminho, 1999.

Trisavó de Pistola à Cinta, Caminho, 2001.

Contos e Lendas de Macau, Caminho, 2002 (Prémio da FLIJ – Fundação da Literatura Infantil e Juvenil, Brasil).

Vinte e Cinco a Sete Vozes, Caminho, 2004.

Rosa Minha Irmã Rosa, Caminho, 2004 (ilustrado).

O Casamento da Minha Mãe, Caminho, 2005.

O Meu Primeiro Dom Quixote (tradução e adaptação), Publicações Dom Quixote, 2005.

Livro com Cheiro a Chocolate, Texto Editores, 2005.

2 Histórias de Natal, Caminho, 2006.

Livro com Cheiro a Morango, Texto Editores, 2006.
O Meu Primeiro Álbum de Poesia, Publicações Dom Quixote, 2007.
Livro com Cheiro a Baunilha, Texto Editores, 2007.
A Vida Nas Palavras De Inês Tavares, Caminho, 2008.
Livro com Cheiro a Caramelo, Texto Editores, 2008.
A Charada da Bicharada, Texto Editores, 2008.
Livro com Cheiro a Canela, Texto Editores, 2009.
Meia Hora Para Mudar a Minha Vida, Caminho, 2010 (Prémio Henriqueta Lisboa, Brasil).
A Arca do Tesouro, Caminho, 2010 (com CD, música de Eurico Carrapotoso, narração de Luís Miguel Cintra).
Livro com Cheiro a Banana, Texto Editores, 2010.
Expressões com História, Texto Editores, 2012.
Rimas Perfeitas, Imperfeitas e Mais-que-Perfeitas, Texto Editores, 2013.
Diário de Um Adolescente na Lisboa de 1910, Texto Editores, 2016.

Literatura tradicional
Um Ladrão Debaixo da Cama, Caminho, 1991.
Fita, Pente e Espelho, Caminho, 1991.
Periquinho e Periquinha, Caminho, 1992.
Maria das Silvas, Caminho, 1992.
As Três Fiandeiras, Caminho, 1993.
Eu Bem Vi Nascer o Sol: Antologia da Poesia Popular Portuguesa, Caminho, 1994.
Desanda, Cacete!, Caminho, 1997.
Os Anéis do Diabo, Caminho, 1998.
O Gigante e As Três Irmãs, Caminho, 1998.
As Moedas de Ouro de Pinto Pintão, Caminho, 2003.
Manhas e Patranhas, Ovos e Castanhas, Caminho, 2003.
A Machadinha e a Menina Tonta e o Cordão Dourado, Caminho, 2006.
João Grão de Milho. Rato do Campo e Rato da Cidade, Caminho, 2007.
O Filho do Demónio. A Adivinha do Rei, Caminho, 2007.
A Que Sabe Esta História?, Oficina do Livro, 2007.
O Coelho Branquinho e a Formiga Rabiga. Se Houvesse Limão, Caminho, 2008.
O Menino da Lua. Corre, Corre Cabacinha, Caminho, 2009.
Contos de Grimm para Meninos Valentes, Oficina do Livro, 2009.
O Sapateiro. O Pássaro Verde, Caminho, 2009.
Contos de Andersen para Crianças sem Medo, Oficina do Livro, 2010.

A Verdadeira História do Doutor Grilo, Caminho, 2011.
Contos de Perrault para Crianças Aventureiras, Oficina do Livro, 2011.
Histórias da Bíblia para Ler e Pensar, Oficina do Livro, 2012.
Contos das Mil e Uma Noites, Oficina do Livro, 2013.
A Velha Caixa. A Bela Moura, Caminho, 2014.

Obras para adultos

Esta Lisboa, Caminho, 1993 (álbum/guia de viagem).
Praias de Portugal, Caminho, 1997 (álbum/guia de viagem).
Bica Escaldada (crónicas), Casa das Letras, 2004.
Pezinhos de Coentrada (crónicas), Casa das Letras, 2006.
Dois Corpos Tombando na Água (poesia), Caminho, 2007 (Prémio Maria Amália Vaz de Carvalho).
O Que Dói Às Aves (poesia), Caminho, 2009.
Tejo, com fotografias de Neni Glock, Caminho, 2009 (álbum/guia de viagem).
Os Profetas (romance), Caminho, 2011.
O Que se Leva Desta Vida (crónicas), Casa das Letras, 2011.
O Livro da Avó Alice: Histórias e Memórias para Todas as Avós do Mundo (memórias), Lua de Papel, 2011.
O Mundo de Enid Blyton (biografia), Texto Editores, 2013.
Os Armários da Noite (poesia), Caminho, 2014 (finalista do Prémio PEN Clube).
Só Duas Coisas Que, Entre Tantas, Me Afligiram (crónicas), Casa das Letras, 2017.
Olha-me Como Quem Chove (poesia), Publicações Dom Quixote, 2018.

Obras em colaboração

Novos Mistérios de Sintra (romance; vários autores), Oficina do Livro, 2005.
O Código d'Avintes (romance; vários autores), Oficina do Livro, 2006.
Eça Agora: os Herdeiros dos Maias (romance; vários autores), Oficina do Livro, 2007.
13 Gotas ao Deitar (romance; vários autores), Oficina do Livro, 2009.
Chocolate: Histórias de Ler e Chorar por Mais (contos, vários autores), Casa das Letras, 2010.
Picante: Histórias que Ardem na Boca (contos, vários autores), Casa das Letras, 2011.
A Misteriosa Mulher da Ópera (romance; vários autores), Casa das Letras, 2013.